Graphisme: Laure Massin

ISBN: 978-2-07-066279-1
© Gallimard Jeunesse 2015
Numéro d'édition: 297947
Loi n°49-956 du 16 juillet 1949
sur les publications destinées à la jeunesse
Premier dépôt légal: octobre 2015
Dépôt légal: novembre 2015
Imprimé en Roumanie

La bulle

Timothée de Fombelle
Éloïse Scherrer

GALLIMARD JEUNESSE

Misha ne savait pas quand c'était apparu.

Depuis qu'elle était toute petite,
ça ne l'avait jamais quittée.

Même quand tout avait l'air d'aller si bien.

Même quand tout était beau. Et le ciel si pur autour d'elle.

C'était là.

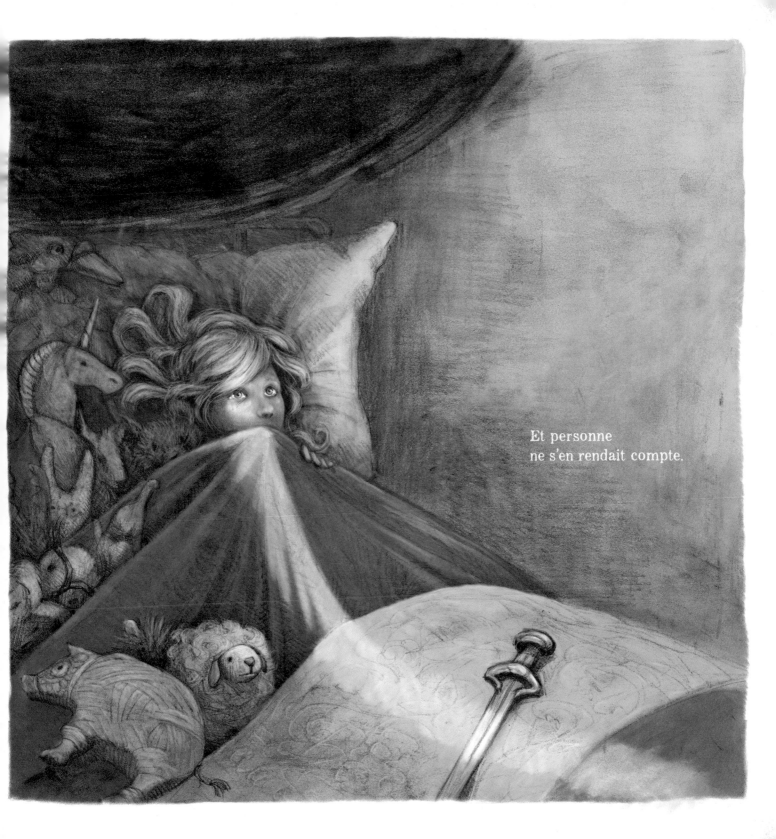

Et personne
ne s'en rendait compte.

Misha avait essayé
l'indifférence.

Le silence.

La colère.

On ne saura jamais ce qui se passa enfin
cette nuit-là. Les grands moments de la vie
viennent toujours par surprise.

Quel mystérieux ennemi régnait dans ce monde,
et sur la vie de Misha ?

On a le droit de penser qu'on lui donna
tout cela, parce que son combat
était juste et courageux.

Misha voyagea longtemps.
Elle croyait reconnaître les paysages infinis
qui l'habitaient depuis toujours.

Il y eut des épreuves...

... et de grands espoirs.

Elle chercha l'ennemi
jusqu'aux dernières limites
du royaume.

Que faire quand on arrive avec son cheval au bord du monde ?

Quelque chose apparut alors dans la nuit.

Il faudrait trouver un autre mot que la peur.

Même le cheval tremblait derrière elle.
Et la nuit hurlait dans leur dos.

Ce fut la chevauchée la plus folle.

La terre se soulevait autour d'elle,
le royaume s'était réveillé.

Les chemins n'étaient plus des chemins.

Les falaises ondulaient et mordaient le ciel.

Le cheval écumait,
sautait les crevasses,
remontait
les torrents.

Misha, penchée sur l'encolure,
lui parlait à l'oreille.

Mais les petits chevaux courageux
ne sont pas toujours plus rapides
que les monstres et les ouragans.

Il avait suffi que Misha se tienne **debout** devant elle,
désarmée, qu'elle la regarde **vraiment**...

... pour que la bête s'aplatisse
à ses pieds.

Et quand Misha
posa ses mains sur elle...

En retrouvant sa chambre, Misha savait
qu'il y aurait d'autres batailles.
Elle ne pourrait plus se cacher
sous cette ombre.

La vie et les autres
l'attendaient dehors.